ÉRASE UNA VEZ UN LOBO LLAMADO CEREAL

· ALESSANDRA PONTES ROSCOE ·

· JUAN CHAVETTA ·

Cereal de verdad intentaba ser un lobo feroz,
pero era asustadizo, miedoso y sentimental.

Quipu

Era uma vez um lobo mingau
Saber e Ler, 2016.
Érase una vez un lobo llamado Cereal
Quipu, 2017.
Primera Edición en Argentina.
©
Texto: Alessandra Pontes Roscoe
Ilustraciones: Juan Chavetta

D.R. © para Quipu, 2016
José Bonifacio 2434, Buenos Aires
Tel - Fax: +54 (11) 4612-3440
info@quipu.com.ar
www.quipu.com.ar
@quipulibros
/QuipuLibros
D.R. © Saber e Ler, 2016.

2° edición: 2017

Traducción del original en portugués:
Glosa Idiomas

Dirección de arte: Macaita
Edición: Grupo Editorial Quipu
Diseño Gráfico:
Marulina Acunzo

Pontes Roscoe, Alessandra
 Érase una vez un lobo llamado Cereal / Alessandra Pontes Roscoe
 ; ilustrado por Juan Chavetta. - 2a ed . - Ciudad Autónoma de Buenos Aires : Quipu, 2017.
 24 p. : il. ; 22 x 24 cm. - (Libro álbum)

 Traducción de: Glosa Idiomas
 ISBN 978-987-504-187-5 (Rústica)

 1. Literatura Argentina. 2. Cuentos Fantásticos. I. Chavetta, Juan , ilus. II. Título.
 CDD A860

Impreso en Gráfica Pinter
Taborda 48, Buenos Aires, Argentina.
En el mes de junio de 2017.

Para todos los que se encuentran fuera de la norma, porque muchas veces seguir estándares es muy aburrido.

Su aullido parecía llanto.

Lloraba de frío, de miedo, de tristeza.

Lloraba de alegría y de emoción.

Lloraba hasta con las recetas de tortas,

novelas y comerciales de televisión.

Pero era también un lobo impertinente.
Protestaba por el ambiente
y porque nunca veía gente.
Era medio decadente.
Tenía en la boca un único diente,
dolorido, reblandecido y decían que
hasta un poco podrido.

¡Era realmente un lobo muy deprimido!
Sucede que, para más complicación,
era también un lobo entrometido
y hacía de todo para poder liberarse
de la fama de miedoso y aburrido.

Compró armadura, herradura y dentadura.
Decidió animarse, quería realmente poder
asustar, aterrorizar,
pero en el afán de cambiar
fue a parar al diván.

Todo el día era la misma agonía:
¡Terapia triple sesión!
Incluso aprendió a controlar la emoción,
a calmar la respiración
con yoga y meditación.
Descubrió, aliviado,
que no tenía nada de malo
escapar a la norma.

No quería como comida ni abuelita ni caperucita.
Él se miraba en el espejo y, por más que intentase,
no se veía soplando casas de paja, madera o
escalando por chimeneas para cenar cerditos
que para él tenían olor a pata.

Tenía pesadillas solo de pensar
en lechón, jamón, chorizo y salchichón.
Esa era su manera de ser: era un lobo bueno
y solo quería que lo aceptaran.

Él se llamaba Cereal
y no quería saber nada con hacer el mal.
Con el tratamiento freudiano
se asumió vegetariano.

Hoy vive muy feliz en una granja órganica,
donde cultiva todo sin insecticidas.

Cereal ahora se siente
un lobo bien normal,
hasta se enamoró de forma irracional
de la vecina, una loba muy bonita,
que nació golosa y rechonchita.
A causa de su silueta
poco convencional, según la norma,
fue llamada "la loba panzona",
pero, ¿a quién le importa?

ALESSANDRA PONTES ROSCOE

Soy, antes que nada, lectora. Como profesión hice periodismo, trabajé varios años contando historias reales de gente real, pero fue en la literatura que me encontré de verdad, inventando mundos y personajes.

Creo en el poder infinito de los libros para cambiar personas y lugares. Soy madre de 3 hijos lectores, tengo libros por todas las esquinas de la casa y siempre que puedo hablo de libros, de lecturas y de historias.

JUAN CHAVETTA

Nací en Zárate, y soy ilustrador y Diseñador gráfico. He publicado mis trabajos en revistas como *PIN*, *El Gourmet* y *Caras y Caretas*; y creado diseños tanto para marcas deportivas como obras de teatro infantil. También participo en eventos culturales y educativos del país.

El resfrío del Yeti, *Cerebro de Monstruo*, *El ladrón de sombras* y *La increíble familia de Camilo, el niño que se aburría* son algunos de los libros que tuve el placer de ilustrar para QUIPU. Con ellos también he publicado *Puro Pelo 2*, *El Sr. Cuco* y *Puro Pelo* y las historietas de *Puro Pelo*, con guion de Fabián Sevilla, libros en los que aparece el personaje más querido por todos, Puro Pelo, junto a tus amigos. Pelito ya tiene más de 870 mil seguidores en *Facebook* ¡y sigue sumando fanáticos! ¡Muchas gracias a tuttis por seguirnos!